DESTINATION MYSTÈRE

DISPARITION À ROME

À Charlie, ma petite filleule paillette.
A. C.

LES HOMMES, LES ANIMAUX, LES ARBRES, NOUS SOMMES TOUS UN, COMME LES COULEURS DE L'ARC-EN-CIEL.
TIRÉ DES ENSEIGNEMENTS DES INDIENS MAYAS QUICHÉS

Éditions Play Bac, 14 bis, rue des Minimes, 75003 Paris ; www.playbac.fr

DESTINATION MYSTÈRE

DISPARITION À ROME

Moka
illustrations
Anne Cresci

IDALINA

KUMIKO

Kumiko est japonaise. C'est une peintre talentueuse, qui aime aussi la photo et la mode.

Idalina est espagnole. Elle joue de la guitare et c'est une superbe chanteuse de flamenco.

NAÏMA

RAJANI

ALEXA

Naïma est américaine. Son père est américain et sa mère vient d'Afrique. Le cirque est sa passion.

Rajani est indienne. Elle adore danser, surtout les danses traditionnelles de son pays.

Alexa est australienne. Elle souhaite devenir championne d'équitation.

Les Kinra Girls
ne sont pas à la fête

« Eh bien, ce n'est vraiment pas la joie ! » pensa Alexa. Elle s'était rarement autant ennuyée pendant un déjeuner. Rajani était triste depuis son accident[1]. Elle avait une entorse au poignet qui la forçait à garder son bras en écharpe. On lui avait interdit de danser jusqu'à complète guérison. Kumiko, dont l'humeur avait toujours été changeante, était dans une mauvaise phase. Idalina était morose mais refusait de dire pourquoi. En fait, elle voyait

---

1. *Voir le tome 25 de la série classique Les Kinra Girls,* La Pire des pestes.

s'approcher la fin de l'année et elle était chagrinée à l'idée d'être séparée de ses amies. Naïma était un peu plus bavarde que les autres. Malheureusement, elle ne parlait que d'une chose : le concours international des jeunes artistes de cirque qui se tenait à Ottawa, la capitale du Canada. Quelques élèves de l'Académie Bergström devaient y participer. Pour l'instant, on ignorait qui étaient les heureux sélectionnés.

– Il paraît que les participants seront accompagnés par certains de leurs camarades de classe pour les encourager, déclara Naïma après un silence pesant.

– Ce n'est pas une nouvelle, répondit Rajani. C'est comme ça à chaque fois.

– Oui et c'est chouette, non ? On va découvrir le Canada !

– Tu ne sais pas encore si tu pars, remarqua Kumiko.

Chapitre 1

– Merci de me le rappeler, grommela Naïma.

Alexa soupira. Bonjour l'ambiance ! Elle posa sa serviette sur la table d'un geste brusque.

– Ce n'est pas tout ça ! Il faut sortir Jazz avant la reprise des cours. Vous venez ?

– Oh, pour dix minutes, ça ne vaut pas le coup, dit Rajani.

– En plus, il pleut, ajouta Kumiko.

Alexa commençait à perdre patience. Ne voulant pas se fâcher, elle préféra s'en aller. D'ordinaire, elle passait prendre Jazz beaucoup plus tard. Mais, ce vendredi, M. Meyer quittait l'école en début d'après-midi. Son frère venait le chercher pour le week-end. Soucieux du bien-être de son chien, M. Meyer avait demandé à Alexa de le promener. Un trajet en voiture, ce n'était pas très agréable pour un animal !

En traversant le hall, Alexa réfléchissait. Ça ne pouvait pas durer ! Il fallait secouer les Kinra Girls. « Si j'imagine quelque chose d'amusant, on va m'accuser de faire des bêtises », songea-t-elle.

Elle oublia de frapper avant d'entrer dans le bureau de Miss Daisy. Tiens ? Personne. Elle entendit des voix au travers de la porte fermée du bureau de M. Meyer. Le directeur discutait avec son assistante.

Alexa hésita. Devait-elle
s'asseoir et attendre ? Elle
tendit l'oreille. Qu'est-ce
qu'ils se racontaient là-
dedans ? Et ce qu'elle surprit
alors fit battre son cœur
plus vite. Oui ! Ah, ah !
Oui ! Génial ! Elle avait hâte
d'aller tout rapporter à ses
amies. Et puis... non. Elle avait
une bien meilleure idée. Et ce
n'était même pas une bêtise !
Un aboiement la prévint que Jazz
avait dû la sentir.

   – C'est moi ! cria Alexa.
Miss Daisy lui ouvrit la porte.
Aussitôt le labrador bondit vers
Alexa en jappant.
   – Surtout, fais-le courir !
dit M. Meyer. Qu'il soit bien fatigué !

– Oui, monsieur, c'est prévu ! Viens, mon gros ! Tu vas patauger dans la boue !

– Oh non… se désespéra Miss Daisy, il va encore me mettre plein de saletés partout !

– Je ne suis pas responsable de la météo ! répliqua Alexa en riant.

La pluie était bienvenue. L'herbe de la grande prairie avait jauni pour cause de sécheresse. Des trous s'étaient formés par endroits et, déjà, étaient remplis d'eau. Jazz n'en rata pas un seul… Quand Alexa ramena le chien, ils étaient aussi sales l'un que l'autre.

Après son cours d'équitation, Alexa ne s'attarda pas à l'écurie. Elle était pressée de rentrer. Les Kinra Girls avaient pour habitude de se retrouver à la cafétéria en fin de journée. Mais elles passaient toujours d'abord par leurs chambres pour s'y reposer un peu. Alexa comptait là-dessus.

Après une douche bien méritée, Alexa

s'installa à sa table. Au travail ! Elle déchira deux feuilles d'un cahier. Elle y traça rapidement des têtes de bonshommes. Il ne lui fallut que quelques minutes. Elle était experte en code Mullee Mullee[2], elle l'avait inventé ! Elle replia les feuilles de manière à les transformer en enveloppes.

Et hop ! Un message sous la porte 325 et l'autre sous celle de la 306. Très contente d'elle, Alexa descendit à la cafétéria. Elle espérait que sa petite fantaisie saurait remonter le moral de ses amies, les distraire de leurs soucis et faire revenir leurs sourires. Ni Kumiko ni Idalina, pourtant dans leur chambre respective, ne remarquèrent le rectangle blanc sur la moquette. Naïma, quand elle rentra, shoota dans le papier sans le

2. Code secret des Kinra Girls.
Prononcer « Mulli Mulli ».

voir, l'expédiant dans un coin sombre. Elle s'enferma aussitôt dans la salle de bains. Elle était au bord des larmes et elle ne voulait pas qu'Idalina s'en aperçoive.

Rajani, de retour de son cours de danse où elle s'était contentée de regarder les autres, était plus que maussade. Ne pas danser était la pire des punitions ! Le bout de papier sur le sol lui servit de prétexte pour râler.

– Kumiko ! J'en ai vraiment marre du désordre que tu causes ! Tu jettes tes affaires par terre, maintenant ?

Kumiko, allongée sur son lit, se redressa.

– Quoi ? J'ai fait quoi ?

Rajani pointa le doigt vers l'enveloppe.

– Ça ! T'es priée de le ramasser. Moi, j'ai mal au poignet !

– Mais enfin, je n'y suis pour rien ! protesta Kumiko.

Rajani fronça les sourcils. Puis elle se pencha

pour prendre le papier. Elle le déplia.

— Ah d'accord ! C'est une farce d'Alexa...

Elle abandonna le message sur sa table.

Kumiko fit preuve de plus de curiosité.

— C'est en code Mullee Mullee ! s'exclama-t-elle. Il y a longtemps qu'on ne l'a pas utilisé. Je ne me souviens plus très bien. Ça, c'est un F. A... l... celle-là, c'est laquelle ? Un T, je crois. Un E. Et un S. Le mot c'est : « faites » ! Qu'est-ce qu'Alexa veut que nous fassions ?

— Je préfère ne pas le savoir, répondit Rajani.

— Accordons-lui le bénéfice du doute. Le deuxième mot, c'est... « vos ». V, A, L, un l... Kumiko continua de traduire en silence. Puis elle poussa un cri.

— « Faites vos valises, on part au Canada ! » Oh, c'est super ! Le Canada ! Tu te rends compte ?

À l'idée d'un voyage à venir, l'humeur de

Kumiko passa au beau fixe. Le moral de Rajani remonta aussi d'un cran. Quelques jours loin de l'école lui feraient le plus grand bien.

Dans la cafétéria, Alexa s'impatientait. Ses amies étaient en retard. Ah ! Tout de même ! Idalina arrivait.

— Naïma n'est pas revenue du cirque ? s'étonna Alexa.

— Si, si ! Mais elle traîne… Elle se comporte un peu bizarrement.

— À cause de ma lettre, sûrement !

— Quelle lettre ?

— Ben, vous ne l'avez pas trouvée ? se désola Alexa.

Sa déception fut de courte durée. Kumiko et Rajani entrèrent dans la cafétéria, le sourire aux lèvres. Derrière elles apparut Naïma, le visage renfrogné.

— C'est vrai ce que tu nous as écrit ? demanda Kumiko. On va au Canada ?

Chapitre 1

Naïma sursauta.

— Et comment ! s'écria Alexa. J'ai surpris une conversation entre M. Meyer et Miss Daisy. Nous partons toutes les cinq ! Génial, hein ?

— Tu te trompes, répondit sombrement Naïma.

— Non, pas du tout ! la contredit Alexa.

— Si ! Parce que M. Tremblay ne m'a pas choisie ! C'est Mickael qui participera au concours. Et ceux qui l'accompagneront seront Johannis, Nassir et Andreas !

— Pourtant, je suis sûre que M. Meyer parlait de nous.

— Puisque je te dis que non ! cria Naïma. Je suis bien placée pour le savoir, non ?

Alexa n'osa pas insister. Naïma, de toute évidence, prenait très mal que son professeur lui préfère un de ses camarades. Un silence suivit.

— Ça ne peut pas toujours être nous,

remarqua Rajani. Ce ne serait pas juste.
Naïma se leva brusquement pour aller
chercher un jus d'orange au distributeur.

– Je ne comprends pas, avoua Alexa. Je
vous jure que j'ai bien entendu, même si la
porte était fermée. Il était question de billets
d'avion...

– C'était pour quelqu'un d'autre, supposa
Idalina. Tu as fait une erreur. Ça arrive à tout
le monde.

– Pas à moi, répliqua Alexa, vexée.

– Attention, Naïma revient, murmura
Rajani. Changeons de sujet.

– Il pleut, soupira Kumiko. Je parie que
le temps sera pourri ce week-end.
Rajani lui lança un regard noir. Si la Japonaise
voulait les déprimer encore plus,
c'était réussi !

Un formidable coup de
tonnerre ébranla

Chapitre 1

le château. La foudre était tombée tout près.

— Ah, d'accord, grommela Alexa. Si même le ciel s'y met...

Chapitre 2

Le vœu de la fontaine de Trevi

La bonne cuisine du chef Luigi suffisait généralement à mettre Naïma de bonne humeur. Hélas, les fameuses pâtes à la napolitaine ne réussirent pas à remonter le moral de celle-ci. À la table d'à côté, Mickael et ses copains parlaient fort. Il était impossible de les ignorer.

— Et M. Tremblay a dit qu'après le concours on ira voir les ours polaires dans le Grand Nord ! s'enthousiasma Mickael. Naïma rentra la tête dans les épaules.

Si seulement elle pouvait ne plus l'entendre. Même Rajani, qui s'efforçait de bien prendre les choses, avait du mal à se réjouir pour ses camarades. Des ours polaires... Elle aurait aimé les voir, elle aussi !

Les Kinra Girls n'avaient pas envie de s'éterniser au réfectoire. Le dessert avalé, elles se levèrent. Au moment où elles allaient sortir, Miss Daisy les intercepta.

— Ah les filles ! Justement, je vous cherchais. Je n'ai pas encore eu le temps de dîner, alors vous me retrouvez... hum, voyons... au bureau dans une heure, ça ira ?

— Pourquoi ? demanda Idalina.

— Dans une heure, répéta Miss Daisy.

Elle partit sans plus d'explications. Rajani se tourna vers Alexa.

— Qu'est-ce que t'as fait, cette fois ?

— Hé ! s'insurgea Alexa. Je ne fais pas que des bêtises !

– Heu… si, répondit Kumiko.

Alexa croisa les bras et se mit à bouder.

Idalina essayait, pour sa part, d'interpréter
l'attitude de Miss Daisy. Avait-elle l'air fâché,
contrarié, content ? À vrai dire, elle avait
surtout l'air pressé d'aller manger !

– On va à la cafétéria prendre un chocolat
chaud ? proposa Rajani.

Le mot « chocolat » ranima un peu Naïma.
Elle n'allait pas en oublier les ours blancs pour
autant. Elle qui adorait voyager, découvrir
le monde et ses merveilles, elle était
tellement déçue. Elle ressentait également
un sentiment de culpabilité. Si elle avait été
la meilleure de son cours, meilleure que
Mickael, son professeur l'aurait choisie.
C'était donc sa faute si les Kinra Girls
étaient privées de Canada !

– Si j'avais travaillé plus, fait plus
d'efforts… commença Naïma.

— Arrête d'y penser, l'interrompit Rajani. On ne gagne pas à tous les coups, il faut l'accepter.

— Parce que tu l'accepterais, toi, à ma place ? rétorqua Naïma.

— Moi ? Je serais au fond de mon lit en train de pleurer, je détesterais la terre entière et je m'en voudrais à mort ! Heureusement, tu n'es pas moi. Tu es beaucoup plus forte !

L'honnêteté de Rajani tira un sourire à Naïma.

— Qu'est-ce que Miss Daisy peut bien nous vouloir ? s'interrogea Idalina.

— Ah ! J'avais raison à propos des billets d'avion ! s'écria Alexa.

— Mais on ne va pas à Ottawa ! répliqua Kumiko.

— Peut-être, alors qu'en déduire ? répondit Alexa. C'est qu'on va quelque part ailleurs !

— Tu crois ? douta Rajani. Où ? Et surtout, pourquoi ? Aucune de nous n'a de concours ou de compétition à venir.

– Ou Alexa se trompe complètement, remarqua Kumiko. Évitons de rêver.

– Je suis sûre qu'on part ! affirma Alexa. Et tu en auras la preuve dans cinquante-cinq minutes ! Quel pays voudriez-vous visiter ?

– Tous ! s'exclama Naïma.

– Moi, je voudrais voir des endroits où il y a des animaux, dit Idalina.

– Je ne peux qu'être d'accord, approuva Alexa. Les grands parcs d'Afrique… ça doit être génial !

– Oh oui, j'adorerais ! renchérit Rajani. Les lions, les girafes, les gorilles !

– J'ai peur des grosses bêtes, marmonna Kumiko.

– Ce que tu peux être rabat-joie quand tu t'y mets ! râla Alexa en levant les yeux au ciel. Où tu voudrais aller, toi ?

Alexa regretta aussitôt d'avoir posé une

question dont elle connaissait la réponse.

— En Chine. À la recherche de mes vrais parents.

Pour rompre le malaise qui s'était installé, Naïma leur rappela que le chocolat chaud les attendait. Pour s'occuper, elles réfléchirent au programme de leur week-end. La pluie qui dégoulinait le long des vitres était décourageante. Elles risquaient bien de rester à jouer à des jeux de société pendant deux jours ! Idalina écoutait la conversation distraitement. Elle guettait la sortie de Miss Daisy du réfectoire des adultes.

— La voilà ! annonça-t-elle. Allons-y !

— On ne va pas lui courir après, objecta Rajani, ce ne serait pas très poli.

Pourtant, trente secondes plus tard, elle était debout !

Miss Daisy sourit quand les Kinra Girls franchirent sa porte.

– J'espère que vous ne m'en voulez pas de vous avoir fait patienter, dit-elle. J'avais vraiment faim !

– D'accord mais maintenant, on veut savoir ! répondit Alexa.

Pour la taquiner, Miss Daisy dérangea quelques dossiers sur sa table, fit mine de fouiller dans ses tiroirs, pour finalement prendre un papier qui était posé juste devant elle.

– Ah, bah, elle était là ! La semaine dernière, nous avons reçu cette lettre. Elle vient du comte d'Ulpiano…

– Romeo ! s'écria Idalina. Notre ami Romeo !

– Qu'est-ce qu'il a écrit ? s'enquit Kumiko.

– Il va bien ? demanda Rajani.

– Et Gina aussi ? ajouta Naïma. Elle est adorable, Gina ! Elle nous avait fait des coiffures incroyables…

– L'Italie, hein, c'est ça ? On va en Italie !
devina Alexa.

– Je peux parler, oui ? protesta Miss Daisy.
Les filles se calmèrent et s'excusèrent.

– Bon. Il est bien gentil, votre ami
Romeo, mais il ne se rend pas compte qu'on
n'organise pas les voyages des élèves en un
claquement de doigts ! Les transports, les
autorisations des parents, les passeports…
C'est toujours à moi de tout régler, ici !

– C'est que vous êtes la meilleure,
remarqua finement Idalina. Alors, on va à
Rome ?

Chapitre 2

– Eh oui. Votre rose bleue a rejoint sa sœur la rose rouge et le lion mécanique[3] dans le musée d'Ulpiano. Et samedi soir, il y a une réception pour l'y accueillir dignement ! Puisque c'est vous qui l'avez découverte, vous êtes les invitées d'honneur.

– Youpi ! hurla Alexa. Heu... ce samedi ? Demain ?

– Oui. Et vous avez de la chance que je sois parvenue à tout arranger à temps ! Départ à 9 heures du matin. Vous n'avez plus qu'à faire vos bagages. Je vais vous y aider, histoire de m'assurer que vous emportiez ce qui est nécessaire.

– Pas la peine, répondit Naïma. On est devenues des pros des valises.

Ce qui fit rire Miss Daisy. Néanmoins, elle insista pour vérifier le contenu de leurs sacs.

– J'ai regardé la météo à Rome sur Internet. Ensoleillé et chaud ! Je vous

3. *Voir le tome 9 de la série classique Les Kinra Girls,* Sur la piste du trésor.

accompagnerais
volontiers. Ici, on
prévoit de la pluie pour
les trois jours à venir…

Une fois les bagages faits, et contrôlés par
ses soins, Miss Daisy regagna son bureau.
Elle avait encore du travail. Elle conseilla aux
Kinra Girls de se coucher tôt. Mais personne
n'avait envie de dormir !

  – J'aurais préféré partir au Canada,
dit Naïma. Rome, on connaît déjà.

  – Que tu crois ! répliqua Rajani. Il y a plein
de choses qu'on n'a pas vues, je te le garantis !

  – Oui, bien sûr… enfin… les ours polaires…

  – Pense à la bonne cuisine italienne !
s'exclama Alexa.
Le *tartufo* au chocolat,
hummm…
Le visage de Naïma
s'éclaira d'un sourire

30

à l'évocation du délicieux dessert glacé.

– Ah oui, le *tartufo* ! Ça vaut le voyage ! Oh, là, là ! Je devrais avoir honte de me plaindre ! Promis, j'arrête !

– Il commence à être tard, constata Kumiko. Si on veut être en forme demain, il faut qu'on dorme.

– Oui, faudrait… acquiesça Alexa. Elle ne bougea cependant pas du lit de Rajani sur lequel elle était assise. À son côté, Idalina se redressa soudain.

– Hé mais… notre vœu s'est réalisé !

– Notre quoi ? demanda Rajani.

Idalina leur rappela que, lors de leur dernière visite, elles avaient jeté des pièces dans la fontaine de Trevi. La tradition recommande de jeter deux pièces par-dessus son épaule. La première pour être assuré de revenir à Rome, la seconde pour exaucer un vœu personnel.

Le vœu de la fontaine de Trevi

– Ça a marché ! exulta Idalina.
On retourne à Rome !

hello Roma!

Chapitre 3

Risotto et gelato

Les Kinra Girls avaient eu beaucoup de mal à s'endormir. Elles profitèrent des deux heures de vol pour se reposer. Le gentil steward qui avait veillé sur elles depuis le départ les réveilla. Aéroport en vue !

L'air chaud les saisit dès leur descente de l'avion. Une hôtesse les accompagna pour toutes les formalités puis les conduisit jusqu'à la sortie. Naïma rit en apercevant Gina qui sautait sur place en agitant les bras. On ne risquait pas de la rater !

Risotto et gelato

— *Buon giorno*[4] ! *Buon giorno* ! cria Gina.
Les filles se précipitèrent vers la jeune femme
pour l'embrasser.

— Ah ! Je suis si contente ! dit Gina en
distribuant les baisers. Vous m'avez tellement
manqué ! Vous avez fait bon voyage ? J'espère
que vous n'êtes pas trop fatiguées, la soirée
sera longue ! Carlo nous attend dans le
parking. Lui aussi, il est content !
Gina ne leur laissait pas l'occasion de placer
un mot. C'était un vrai moulin à paroles !
Carlo, le chauffeur, était aussi bavard qu'elle
mais ne parlait qu'italien. Que les filles ne
comprennent rien ne le gênait pas du tout !
Le *palazzo*[5] d'Ulpiano était situé en dehors
de Rome. En cette saison, le jardin était
magnifique. Entre les cyprès, les pins d'Alep,
les oliviers et les orangers, des milliers de
fleurs épanouies exhalaient d'exquis et
délicats parfums. Monsieur le comte était

4. Buon giorno *(en italien) : bonjour.*
5. Palazzo *(en italien) : palais.*

particulièrement fier de ses rosiers blancs,
souvent primés dans les concours.

– Il doit rêver de roses toutes les nuits, le
jardinier ! plaisanta Alexa.

– Le ? répondit Gina. Il y a quatre
jardiniers !

Dès qu'on pénétrait dans le palais, on s'y
sentait à l'aise. Il faisait frais entre ses murs
ocre. Tout était beau et élégant, des statues
aux fresques, des poteries aux mosaïques.
L'eau de la fontaine aux dauphins qui trônait
au centre du hall fredonnait sa petite
musique cristalline.

Gina n'était guère sensible à l'atmosphère
paisible. Elle se mit à hurler.

– Marta ! Marta ! Où est-elle encore
passée ? MARTA !

Celle-ci apparut du fin fond de la cuisine. Les
deux femmes échangèrent quelques mots
sur un ton vif. On aurait pu croire qu'elles se

disputaient. Mais non. C'était leur manière habituelle de communiquer.

— Le déjeuner est presque prêt, dit Gina. Allez déposer vos sacs dans les chambres. Vous connaissez le chemin !

Le bruit d'une porte qui s'ouvre attira l'attention de tout le monde. Les Kinra Girls s'attendaient à voir Romeo. La surprise les cloua sur place. Et la surprise était des deux côtés. La réaction de l'homme en costume noir fut assez comique.

— Les enfants ! s'exclama-t-il, comme il aurait dit « Au secours ! ».

Rajani reprit ses esprits la première. Même si elle n'était pas ravie de la situation, il convenait d'être poli.

— Bonjour, monsieur Bardi. Heu... Vous allez bien depuis votre visite à l'Académie Bergström ?

Chapitre 3

— Qu'est-ce que vous faites là ? demanda-t-il sèchement.

— On est invitées à la fête ! rétorqua Kumiko.

— Quoi ? Comment ? Encore ?

— C'est normal, *signore* [6] Bardi, dit Gina. Elles ont découvert la rose bleue !

— Sans moi et mes recherches, elles n'auraient rien découvert du tout !

— Personne ne prétend le contraire, répondit Gina.

Le *signore* Bardi remonta ses lunettes d'un geste nerveux. Puis il partit vers la terrasse à grandes enjambées. Il avait un rendez-vous en ville.

— Toujours aussi aimable, celui-là, grommela Alexa.

— Oui, acquiesça Gina. Je ne le supporte plus ! Il me met le bazar partout dans la bibliothèque, et jamais un « S'il vous plaît » ou

6. Signore *(en italien)* : monsieur.

un « Merci » ! Ça dure depuis des semaines !

– Il travaille sur Léonard de Vinci, supposa Naïma. C'est sa spécialité.

– Oui et non. Le *signore* Bardi fouille dans les archives personnelles de la famille d'Ulpiano. Il va finir par retrouver des ancêtres de Monsieur le comte qui ont vécu dans les cavernes.

Gina regagna la cuisine pour y aider Marta. Les Kinra Girls montèrent à l'étage. Idalina entra dans la première chambre. Elle poussa une exclamation.

– Il y a quelque chose sur le lit ! Oh ! C'est une robe de bal !

Ses amies la suivirent pour voir de plus près. La robe blanche était entièrement cousue de fleurs roses en tissu. Sur l'oreiller, il y avait également une couronne de fleurs pour la coiffure.

– Trop belle ! s'extasia Rajani. Cendrillon

va être jalouse !

Kumiko bondit hors de la pièce. Elle avait hâte de voir la sienne ! Toutes les robes étaient identiques, seule la couleur des fleurs était différente.

– Faut le dire, Romeo sait recevoir ! rit Alexa.

Elles rangèrent leurs affaires et se rafraîchirent rapidement avant de redescendre. Gina finissait tout juste de mettre la table dans la salle à manger.

– Marta nous a préparé sa spécialité : *risotto al funghetto[7]* ! Une merveille !

Elle ne mentait pas. Le risotto aux champignons frais et sa délicieuse sauce crémeuse remporta un franc succès. Marta rougit de plaisir quand Naïma la complimenta par un retentissant « *Magnifico ![8]* ». Comprenant que Naïma n'osait pas se resservir, Gina remplit

7. Risotto al funghetto *(en italien) : riz aux champignons.*
8. Magnifico *(en italien) : magnifique.*

d'office toutes les assiettes, y compris la
sienne. Après la dégustation des goûteux
fromages régionaux, Marta prononça ce mot
mystérieux sur un ton interrogateur :

– *Caterinetta ?*
Pensant qu'il s'agissait d'un prénom, Idalina
lui demanda si elle attendait quelqu'un. Marta
s'en amusa beaucoup.

– *No ! No ! Caterinetta, gelato* [9] !

– C'est une glace au miel et à la vanille,
expliqua Gina.
Pas de doute : si les Italiens sont les
champions des pâtes, ils sont aussi les
champions des glaces !

– C'est trop bon ! dit Kumiko. C'est…
magnifico !

– Est-ce qu'on va voir Romeo avant ce
soir ? s'informa Rajani.

– Il semblerait que oui, répondit Gina
en pointant le doigt vers la porte.

9. No, gelato *(en italien) : non, glace.*

Les cinq filles se retournèrent d'un bloc. Le comte d'Ulpiano, portant costume clair, canotier et canne, se tenait juste derrière elles.

– Romeo ! s'écrièrent-elles de concert. Elles sautèrent à son cou pour l'embrasser, faisant tomber son chapeau. Romeo, riant à gorge déployée, se laissa chahuter par ses enthousiastes jeunes amies. Marta regardait la scène avec des yeux ronds. Certes, elle était habituée aux fantaisies de son curieux patron. Mais qu'on se montre d'une telle familiarité avec lui était inimaginable pour elle. C'était Monsieur le comte !

Romeo parvint enfin à se dégager. Il ramassa son canotier, qu'il fit mine de brosser.

– La *caterinetta* vous serait-elle montée à la tête ? plaisanta-t-il.

Il s'assit à la table et réclama une coupe de glace pour lui-même.

– Merci pour les robes ! dit Rajani. Elles

sont superbes.

– Ce soir, c'est le bal des fleurs ! La tenue exigée, robes blanches avec des fleurs pour les dames, costumes noirs avec une fleur à la boutonnière pour les hommes ! Pour ma part, j'ai un costume… Vous aurez la surprise !

Ça promettait ! Romeo n'hésitait jamais à être ridicule, du moment que c'était drôle.

– Et comment va votre grand-mère ? s'enquit Idalina.

– Laquelle ?

– Celle qui était partie escalader l'Everest !

– Ah, Elisabetta. Elle est au Népal, dans un monastère bouddhiste où elle apprend le tibétain. En revanche, je n'ai pas de nouvelles récentes de Cleopatra. Elle m'avait pourtant prévenu qu'elle serait prochainement à la maison après son tour de l'Afrique à la voile. Je devrais peut-être m'inquiéter…

Idalina croisa les bras et dévisagea Romeo

d'un air sévère. Monsieur le comte était le plus grand des menteurs ! Bien sûr, personne ne le prenait au sérieux. Mais Idalina trouvait qu'il exagérait avec ses invraisemblables histoires sur ses grands-mères !

— On a croisé M. Bardi, dit Alexa. On ne s'y attendait pas !

— Qui ? Ah oui, cet ennuyeux personnage. Il est encore là ?

— Évidemment qu'il est encore là, répondit Gina. Vous lui avez donné libre accès à vos archives !

— Ah ? Oui, c'est possible. Maintenant que j'y pense, j'ai même dû l'inviter au bal des fleurs. J'ai peur qu'il ne nous fasse un discours ! Aucune importance, je lui enlèverai le micro. Parlons plutôt de votre programme pour l'après-midi.

— Il serait préférable qu'elles se reposent, remarqua Gina.

– Bah, pourquoi ?

– Parce qu'elles viennent d'arriver après un voyage en avion. Et que la soirée sera longue et fatigante pour des petites filles !

– Non, ça va ! l'assura Naïma. On a dormi pendant le trajet.

– Il faut aussi vous préparer, objecta Gina. Je dois vous faire vos coiffures !
Idalina eut une expression catastrophée. La dernière fois, Gina leur avait crêpé les cheveux. C'était, certes, splendide. Mais Idalina en gardait un douloureux souvenir.

– On pourrait faire simple, dit-elle. Pas de crêpage. Juste la couronne…

– Un chignon ! s'écria Gina. Voilà, un beau chignon, bas sur la nuque…
Idalina soupira. Elle n'allait pas y échapper !

– C'est réglé ! conclut Romeo. En route ! Je connais un petit restaurant où on sert une exceptionnelle escalope de veau, jambon de

Parme et sauge…

— Monsieur le comte, elles viennent de déjeuner.

— C'est donc ça, toutes ces assiettes sur la table…

Gina leva les bras au ciel. C'était à se demander de quelle planète était tombé Monsieur le comte ! Pourtant, Romeo était parfois plus raisonnable qu'il ne le paraissait. Il proposa aux Kinra Girls une paisible promenade dans les jardins de la villa Borghèse, le plus beau parc de Rome. Quand le soleil brille sur la Ville Éternelle, la chaleur peut vite devenir écrasante. Le parc offrait peu de fraîcheur en dépit de ses majestueux pins parasols et de ses fontaines. La visite n'en fut pas moins agréable tant le lieu était charmant avec ses grandes pelouses et ses innombrables sculptures.

Romeo mena ses jeunes amies jusqu'à un

petit lac. Sur une île artificielle trônait un
temple ouvert qui abritait une statue.

    – C'est Esculape, dit Romeo. Pour les Grecs
et les Romains, Esculape était le dieu de la
Médecine.

    – Ce que c'est joli ! admira Naïma. J'adore
les buissons fleuris qui se reflètent dans l'eau.

    – Ce sont des jardins « à l'anglaise »,
précisa Romeo. Il y règne une certaine
liberté, un côté naturel… bien qu'en réalité
tout soit parfaitement organisé !
Romeo ne voulait pas rentrer trop tard au
palazzo d'Ulpiano. Il devait se rendre à son
musée où il y avait encore beaucoup à faire
pour préparer la fête. Les filles apprécièrent
de se reposer une heure dans leurs chambres.
D'ailleurs, elles s'endormirent…
Gina les tira de leur sommeil. Il était temps de
se préparer pour le bal !

Chapitre 4

Le bal des fleurs

C arlo accueillit bruyamment les Kinra
Girls. Celles-ci n'avaient nul besoin
de parler italien pour comprendre
qu'il les couvrait de compliments. Que
les filles étaient belles dans leurs robes
blanches !
Le bandage du poignet de Rajani gâchait
un peu sa tenue. Mais l'astucieuse Marta
avait eu une idée pour le cacher. Grâce à de
petites épingles à nourrice, elle avait attaché
des fleurs en tissu sur la bande. Elle n'avoua

pas qu'elle avait récupéré les fleurs dans un
bouquet qui ornait le salon !

Quant à Gina, elle était ravie... du chignon de
Kumiko. Les cheveux de la Japonaise, lisses
et assez courts, refusaient de tenir dans un
chignon serré. Il y avait toujours une mèche
qui s'échappait. Le défi était à la mesure
de l'entêtement de Gina. À grand renfort
d'épingles, elle avait réussi à les discipliner,
ces cheveux rebelles !

Une soirée au musée d'Ulpiano était toujours
un événement d'importance. Il y avait déjà
foule quand Carlo déposa les filles devant
l'entrée. Le spectacle valait le déplacement.
Dames en blanc et messieurs en noir, et des
fleurs, des fleurs partout !

Romeo, que l'on s'attendait à voir dans une
tenue excentrique, surprit tout le monde.
Il portait un élégant costume blanc, une
véritable rose bleue à la boutonnière. Sa seule

fantaisie était un chapeau
haut de forme qui lui allait
très bien.

Les journalistes se pressaient
autour de la nouvelle attraction
du musée : l'extraordinaire rose en saphirs.
Le *signore* Bardi était presque souriant.
Il racontait, en détail, comment ses
recherches avaient permis la découverte
de cet objet exceptionnel. On l'écoutait
poliment, pour son plus grand bonheur.
Et puis quelqu'un aperçut les Kinra Girls.
Entre un professeur assommant et cinq
ravissantes petites filles découvreuses de
trésors, le choix fut vite fait ! Les journalistes
se précipitèrent vers les enfants.

— Mais... mais, j'ai encore des choses à
dire ! s'écria le *signore* Bardi.
Il eut du mal à contrôler sa fureur. Ces
sales gamines lui volaient la vedette ! Plus

personne ne s'intéressant à lui, il se réfugia près du buffet et se consola avec les pâtisseries napolitaines.

Les journalistes, avec leurs caméras, leurs micros et leurs téléphones portables, se jetèrent sur les Kinra Girls. Idalina eut un moment de panique. Alors qu'elle reculait, effrayée, Rajani la rattrapa par le bras.

– Imagine que tu es sur scène et que ce sont tes fans ! lui glissa Rajani dans l'oreille.

– Ce n'est pas pareil, gémit Idalina.

– Il faut que tu t'habitues à la célébrité si tu veux devenir chanteuse.

Alexa et Naïma étaient très à leur aise et répondaient volontiers aux questions. Kumiko, au début plutôt réservée, se détendit. Ces gens étaient gentils, même s'ils étaient assez brusques.

– Le directeur nous a crues quand on lui a dit qu'on pensait savoir où se trouvait la rose bleue, expliqua Alexa. Je ne connais pas d'autres écoles où on croit les enfants sur parole !

– L'Académie Bergström est un endroit génial ! ajouta Kumiko. Les professeurs sont là pour nous guider et nous conseiller mais ils nous enseignent aussi à avoir confiance en nous.

– Oh oui ! approuva Naïma. Et puis, peu importe de quel pays viennent les enfants, qu'ils soient riches ou pauvres ! Si on a un talent particulier et qu'on est prêt à travailler dur, on vous donne votre chance à l'Académie Bergström.

– C'est vrai, renchérit Rajani. Il y a des enfants de toutes les nationalités dans notre école. Les rencontrer, échanger avec eux, apprendre de leurs cultures, c'est peut-être ce que je préfère.

– Et il y a les voyages qui nous

permettent de nous instruire et de voir la beauté de notre monde, dit timidement Idalina. Ça nous fait grandir dans le respect des autres.

Romeo n'était pas loin et écoutait attentivement la discussion.

— Elles parlent bien, ces jeunes demoiselles, remarqua la femme qui se tenait à côté de lui.

Romeo se tourna vers elle et acquiesça.

— En effet. Et j'ignore qui vous êtes. À qui ai-je l'honneur ?

— Je suis Asa Bromander. Je m'occupe de la communication et des médias pour la Fondation Bergström. Et vous m'invitez à chacune de vos fêtes, Monsieur le comte.

— Ah ? Oui, peut-être. Ne pensez-vous pas que mes petites amies sont votre meilleure publicité ?

— C'est certain ! L'histoire de la découverte

du lion mécanique a beaucoup fait pour la renommée de la Fondation. Et maintenant, cette superbe rose bleue… Monsieur le comte, il faut que je m'entretienne avec vous. Frederik Bergström m'a chargée d'une mission et vous êtes concerné. Il est entendu que vous êtes libre de refuser la proposition que j'ai à vous faire.

— Ce cher Frederik ! Comment va-t-il ? Heu… Quoi ? Mission ? Proposition ? Vous m'alarmez en employant des mots pareils ! Vous êtes consciente que je ne suis absolument pas sérieux ?

Asa se mit à rire. Oui, elle était au courant ! Elle savait aussi qu'on pouvait toujours compter sur Romeo. Il se cachait derrière sa fantaisie et son apparente insouciance. Mais le comte d'Ulpiano était quelqu'un de fiable et de responsable quand les circonstances l'exigeaient.

– Je suis
sûre que
vous allez
adorer l'idée
de Frederik, lui
assura Asa.
La suite de leur
conversation se perdit dans le
joyeux brouhaha de la foule. On se bousculait
pour gagner le jardin du musée.

Le feu d'artifice venait d'être annoncé !

Le ciel s'illumina de fleurs de toutes les
couleurs où le bleu dominait. Les « oh ! », les
« ah ! » et les « *Magnifico !* » se succédèrent.

– Faut reconnaître, Romeo sait recevoir,
commenta Alexa.

– Tu nous as dit la même chose, cet après-
midi, rétorqua Naïma.

– Oui, eh ben, je le répète !

– On rentre bientôt ? demanda Kumiko.

Chapitre 4

Je n'en peux plus des épingles !
J'ai l'impression qu'on m'a planté des clous
dans le crâne !

– Allons manger, proposa Rajani. J'ai faim !
Après le feu d'artifice, la foule avait pris le
buffet d'assaut. Impossible d'y accéder ! Un
aimable serveur se mit au service des invitées
d'honneur. Il les installa à une table à part et
leur apporta des assiettes pleines à ras bord.

– *Grazie mille*[10], le remercia Idalina.
Le serveur sourit et s'inclina. Il avait apprécié
que la petite fille fasse l'effort de lui parler
dans sa langue.
Naïma adressa un signe discret à ses amies
pour qu'elles se rapprochent d'elle.

– Cette dame, là-bas près de la baie vitrée,
n'arrête pas de nous regarder.

– C'est que nous sommes les plus belles !
plaisanta Alexa.

– Il me semble que je l'ai aperçue discuter

---

10. Grazie mille *(en italien)* : merci beaucoup. *Prononcer*
« *gratsié millé* ».

avec Romeo quand on se dirigeait vers le jardin, se rappela Rajani. C'est probablement une journaliste.

Kumiko se gratta la tête en grimaçant. Maudites épingles !

– Pfou… soupira-t-elle. Je ne laisserai plus jamais Gina me coiffer !

– Tu n'en auras sans doute plus l'occasion, remarqua Rajani. Hélas, on rentre à l'école demain soir. C'est vraiment dommage d'être venues jusqu'ici et de ne pas en profiter davantage.

– Bof, ce n'est pas si génial que ça, ici, répondit Naïma.

– Comment tu peux dire ça ? s'offusqua Alexa.

– Il n'y a pas d'ours blancs.

Il fallut quelques secondes à Alexa avant de comprendre que Naïma se moquait d'elle. Pas rancunière, elle rit de bon cœur.

La soirée s'étirait en longueur. Les Kinra Girls commençaient à s'ennuyer. Rajani bâilla.

– La dame vient vers nous, murmura Idalina. Qu'est-ce qu'on fait ?

– Tu veux t'enfuir en courant ? répliqua Alexa.

Idalina haussa les épaules. Elle en avait seulement assez de répondre aux questions !

– Bonsoir ! Je suis Asa Bromander, de la Fondation Bergström, se présenta la dame.

– Bonsoir, madame, répondit Rajani.

– Appelez-moi Asa ! Je connais très bien la famille de Frederik Bergström, en particulier votre amie Singrid. Elle m'a chargée de vous embrasser.

Au nom de Singrid, les Kinra Girls sourirent.

– J'imagine que vous êtes fatiguées. Ce genre de festivités n'est pas prévu pour les enfants. Monsieur le comte m'a demandé de m'occuper de vous. Je vais aller chercher son chauffeur pour qu'il vous reconduise au *palazzo* d'Ulpiano.

— Oh oui ! s'écria Kumiko. Merci, madame… Asa.

Quelques minutes plus tard, Asa Bromander revenait avec Carlo. Et, sans plus d'explications, elle dit aux filles en les quittant :

— Je vous verrai demain. *Adjö* [11] !

---

11. Adjö *(en suédois) : au revoir. Prononcer « ayeu ».*

Chapitre 5

Asa a une grande surprise pour les Kinra Girls

Kumiko tenta, en vain, de se rendormir. Elle contempla le plafond, regarda les cyprès derrière la fenêtre, de nouveau le plafond, les cyprès, le plafond ! Bon, ça suffisait ! Elle décida de se rendre dans la chambre d'Idalina, persuadée que celle-ci était déjà levée. Elle se trompait. Elle s'assit sur le bord du lit de son amie et attendit. Puis perdit patience.

– Tu dors ? Hé ? Tu dors ?
Idalina ouvrit un œil.

— Ah bah, non ! s'exclama Kumiko. J'ai gagné, j'étais debout avant toi !

— Je ne savais pas qu'on faisait un concours. Il est quelle heure ?

Idalina se redressa et attrapa sa montre sur la table de chevet.

— Hé ! T'exagères ! Il n'est même pas 6 heures !

— Et le soleil brille déjà ! Qu'est-ce que tu as envie de faire ?

— Tu veux que je te donne toute la liste des lieux à visiter que j'ai cochés dans mon guide de Rome ?

Un léger bruit attira son attention. Idalina se tourna vers la porte que Kumiko avait négligé de refermer.

— Toi aussi, tu es tombée du lit ? demanda-t-elle en voyant Alexa.

— Tu ne vas pas le croire, mais oui ! J'étais en train de rêver que le *signore* Bardi s'était

déguisé en clown, il était tellement terrifiant que j'ai fait un bond et boum ! Par terre !
Kumiko partit d'un fou rire en imaginant le *signore* Bardi en clown. Sûr, c'était le pire des cauchemars !

— Allons réveiller les deux paresseuses, proposa Alexa.
Rajani ne fit pas de difficulté, même si pour la forme elle râla un peu. Naïma, en revanche, n'apprécia pas du tout qu'Alexa et Kumiko lui sautent dessus en hurlant.

— Vous êtes folles ou quoi ? Je dormais, moi ! Je vais changer de copines... Il m'en faut des sages, tranquilles, qui ne font jamais de bêtises...

— Et avec lesquelles tu t'ennuierais à mourir ! rétorqua Alexa.

— Dépêchons-nous, dit Kumiko. On doit profiter au maximum du temps qui nous reste !

Marta ne parut pas étonnée en voyant les Kinra Girls débouler dans sa cuisine aux aurores. Mais elle les expédia sur-le-champ dans la galerie des cages pour y prendre leur petit déjeuner. La galerie des cages devait son nom aux innombrables cages à oiseaux, vides, qui s'y trouvaient. Monsieur le comte prétendait que cette collection avait appartenu à Léonard de Vinci. Personne ne le croyait, bien sûr !

– Vous vous souvenez que cette dame, Asa, nous a dit qu'elle nous verrait aujourd'hui ? demanda Rajani. Que peut-elle nous vouloir ?

– J'avais oublié, répondit Naïma. On est coincées ici jusqu'à ce qu'elle arrive alors ? Gina entra avec un grand pot de chocolat chaud.

– *Buon giorno,* Gina ! crièrent les Kinra
Girls à l'unisson.

– *Buon giorno !* Vous vous êtes bien
amusées à la fête ?

– Oui, dit Idalina, c'était merveilleux. Et…
Romeo est levé ?

– Tu ne connais pas encore Monsieur le
comte ? L'homme qui n'est jamais fatigué ? Il
était à peine revenu de sa soirée au musée
qu'il était déjà ressorti !

– Il n'a rien prévu pour nous ? s'inquiéta
Kumiko. On pourrait aller quelque part. Notre
avion ne décolle qu'en fin d'après-midi.

– Pas aux dernières nouvelles. Qui datent
d'hier soir.

Garder un secret n'était pas le fort de Gina.
Se sachant incapable de tenir sa langue, elle
pensa qu'elle ferait mieux de quitter la pièce.
Mais elle ne pouvait pas résister à la tentation !

– Quand je disais « pas aux dernières

nouvelles », je parlais de votre vol en fin d'après-midi.

Et elle fila se réfugier dans la cuisine, laissant cinq filles dans la stupéfaction la plus totale.

– Que… quoi ? Qu'est-ce que… bafouilla Naïma. Vous avez compris quelque chose, vous ?

– Absolument rien ! avoua Idalina.

– Ça a peut-être un sens en italien ! dit Alexa en riant.

– À mon avis, Romeo nous prépare une surprise et Gina est dans la confidence, supposa Rajani.

– C'est possible, acquiesça Kumiko. Malgré tout, je ne vois pas le rapport avec notre avion !

– À moins qu'on ne parte rejoindre nos copains au Canada ! s'exclama Naïma.

– Vraiment ? fit Kumiko. Décidément, c'est une obsession !

Idalina, qui se trouvait près des grandes baies vitrées, signala qu'une voiture de sport venait de se garer devant le palais.

— C'est Romeo, annonça-t-elle. Il est avec Asa !

Asa Bromander avait les traits tirés et portait des lunettes noires. Elle n'était pas du matin.

— *Buon giorno, buon giorno !* chantonna Romeo en entrant. Parfait, vous êtes là !

Les Kinra Girls répondirent poliment bonjour. Asa s'assit, ôta ses lunettes, et contempla le pot de chocolat. C'était d'un grand café, bien corsé, dont elle avait besoin.

— Monsieur le comte a confondu 6 avec 8, dit-elle. 8 heures...

— L'avenir appartient à ceux qui se lèvent tôt ! répliqua joyeusement Romeo.

— À condition qu'ils n'aient pas été invités à une de vos fêtes, la veille, Monsieur le comte.

Asa rentra la tête dans les épaules quand Romeo hurla le nom de Gina à plusieurs reprises. Les Suédois ne sont pas habitués aux démonstrations bruyantes. Gina accourut et Romeo lui réclama du café.

— Je crois que nos jeunes demoiselles attendent une explication, remarqua Romeo.

— Oui, évidemment. Je travaille pour la Fondation Bergström où je m'occupe de la communication. Par exemple, je donne des informations aux journalistes, j'organise des événements comme des conférences ou des réceptions. Vous connaissez l'Académie Bergström, qui est unique. Mais la Fondation ne se limite pas à ça. Elle a créé d'autres écoles de par le monde. Des écoles elles aussi très particulières. Les élèves y suivent des cours, ce qui est normal… mais leurs camarades de jeux ont des plumes, des écailles et des poils.

– Hein ? laissa échapper Naïma.

– Ces écoles sont également des centres où l'on recueille des animaux blessés ou abandonnés. Leur mission est de sauver des bébés animaux et orphelins, et de les éduquer pour qu'ils puissent être relâchés dans la nature.

– Génial ! s'enthousiasma Alexa. Mais quel est le rapport avec nous ?

– M. Frederik Bergström souhaite que vous deveniez les ambassadrices de sa Fondation.

Les cinq filles la regardèrent avec des yeux ronds.

– Ambassadrices ? répéta Kumiko. On ne saura jamais faire ça !

– Vous l'avez déjà fait ! s'écria Asa en riant. Vous rendez-vous compte qu'il y a eu des centaines d'articles, dans les journaux, les magazines, sur Internet, des reportages à la télévision et à la radio au sujet de votre découverte du lion mécanique ? Ce qui signifie que, partout, on a entendu parler de l'Académie Bergström ! Et puis, hier soir… Vous avez répondu aux questions, avec beaucoup d'aplomb, de sincérité et de spontanéité. Les journalistes vous ont adorées !

– Tant mieux pour eux, rétorqua Alexa. Mais moi, une fois, ça m'a suffi !

– Et si je te propose de voyager dans le monde entier ? D'aller dans toutes les écoles de la Fondation ? De participer aux auditions des candidats à l'Académie Bergström ? De rencontrer des gens formidables ?

– On ne peut pas ! s'exclama Rajani. Et nos cours ? Mes cours de danse ? Et… et ma mère n'acceptera jamais !

– Ah ! fit Romeo. C'est là que votre plus cher ami intervient ! Heu… c'est moi. Entre deux voyages, vous habiterez ici, au *palazzo* d'Ulpiano. Vous y poursuivrez votre scolarité avec les meilleurs professeurs. J'ai tout ce qu'il faut dans mon carnet d'adresses ! Une soprano de la Scala de Milan[12], une ancienne danseuse étoile de l'Opéra de Paris, un médaillé olympique du saut d'obstacles, un peintre japonais de renommée internationale, un clown acrobate du cirque de Moscou… Je dois avoir un vieux professeur de maths quelque part…

— Et nos parents ? insista Rajani. Sans leur autorisation…

— Personne ne m'a jamais dit non, répondit Romeo.

— Ben, vous ne connaissez pas ma mère ! répliqua Rajani.

— Indira ? Elle était absolument charmante au téléphone !

Rajani en resta muette de stupeur.

12. *Scala de Milan : célèbre théâtre d'opéra italien.*

– Hé ! Une minute ! s'écria Alexa. Vous avez parlé à la mère de Rajani ?

– Il y a cette admirable chose qui s'appelle le décalage horaire. À propos, la tienne, de maman, t'embrasse !
Il se tourna vers Kumiko, puis vers Naïma.

– Ton père est très fier de toi et honoré que tu aies été choisie comme ambassadrice. Ce qui est bien avec le décalage horaire, c'est que ça marche dans les deux sens. Au lieu d'appeler New York, ce matin, je l'ai fait cette nuit. Naïma, j'ai parlé avec tes parents et tes quatre petits frères qui voulaient absolument t'envoyer des tas de bisous par téléphone…
Naïma eut un sourire attendri. Romeo s'adressa ensuite à Idalina.

– Ta maman est en Autriche, en ce moment. Je l'ai eue au téléphone, hier soir, juste après son spectacle[13]. Elle n'était pas du tout surprise par ma proposition. Elle a une

13. *La mère et la tante d'Idalina sont danseuses de flamenco.*

énorme confiance en toi.

– Ça signifie que nos parents sont d'accord ? demanda Alexa.

– Évidemment ! Je leur ai assuré que vous terminerez d'abord votre année scolaire à l'Académie Bergström. Enfin… il n'est pas impossible que vous deviez vous déplacer assez prochainement.

– Pour aller où ? Au Canada ? Hein ? C'est au Canada ?

– Ne faites pas attention à Naïma, conseilla Kumiko. Elle est obsédée par les ours blancs !
Naïma lui décocha un coup de pied sous la table.

– J'ignore où pour l'instant, dit Asa. Mais le Canada n'est pas sur la liste. Dans l'immédiat, j'ai prévu une journée de formation pour vous préparer à votre future mission d'ambassadrices. Vous devez tout savoir sur la

Fondation et apprendre comment
vous comporter dans toutes les situations
qui se présenteront.

– Ah bon, grogna Alexa. Il faut qu'on
travaille…

– Je te promets que vous aurez du temps
libre, répondit Asa. Alors, rester jusqu'à mardi
au *palazzo* d'Ulpiano, ça ne vous plairait pas ?

– OH, SI ! SI ! crièrent les Kinra Girls.

Chapitre 6

Une promenade enchanteresse

Asa donna rendez-vous aux Kinra Girls le lendemain, à 9 heures. Comme elle n'était pas venue avec sa voiture, Romeo lui proposa les services de son chauffeur. Asa regretta vite d'avoir accepté car Monsieur le comte hurla « Carlo ! » jusqu'à ce que celui-ci arrive. Asa embrassa les filles et quitta les lieux avec soulagement. Elle croyait sans doute qu'elle allait enfin pouvoir reposer ses oreilles. Elle ne connaissait pas Carlo.

– Je parie qu'elle va se recoucher ! railla
Alexa.

– On a toute la journée pour nous, dit
Naïma en regardant fixement Romeo.
Il ne sembla pas comprendre. Naïma n'osa
pas insister. Kumiko, quant à elle, fit montre
de moins de subtilité pour faire passer le
message.

– Il faut profiter de ce magnifique soleil !
Idalina, qu'est-ce que tu as coché dans ton
guide touristique ?

– Ben, heu... plein de choses ! Il y a les
musées du Vatican...

– Il fait beau, on ne va pas s'enfermer dans
les musées ! l'interrompit Kumiko. Hum...
Romeo ? Une idée ?

– À quel propos ?
Kumiko n'eut pas le temps
de lui répondre. Gina
entra en trombe dans la

galerie des cages. Elle n'était pas contente du tout.

– Quand est-ce que vous allez me débarrasser de ce maudit *signore* Bardi ?

– Qui ça ?

– Bardi, Monsieur le comte ! gronda Gina. Bardi ! La bibliothèque est un chantier ! Je n'ai rien dit jusqu'à présent mais là, ça dépasse les bornes ! Des papiers partout, des piles de livres par terre, il a même laissé son vieil imperméable mité accroché à la statue de Jupiter !

– Ce n'est pas très grave, elle est affreuse. Devant l'expression sidérée de Gina, Romeo jugea utile de préciser :

– La statue de Jupiter.

– Vous allez immédiatement téléphoner au *signore* Bardi pour qu'il vienne ranger la bibliothèque ou je donne ma démission ! Il s'ensuivit un long silence.

– Ah, fit Romeo. Je n'ai pas son numéro.

– Hein ? Comment vous faites pour le contacter, alors ?

– Pourquoi voulez-vous que je le fasse ? Il m'ennuie. Peut-être que j'ai sa carte de visite, quelque part dans mon bureau... à moins que je ne l'aie jetée à la poubelle.

Gina leva les bras au ciel et partit fouiller le bureau. Romeo se resservit du café.

– Gina ne va pas démissionner ? s'inquiéta Idalina.

– C'est sa menace favorite ! répondit Romeo. J'y ai droit plusieurs fois par mois ! Et si tu allais chercher ton guide touristique ? Comme quoi, Monsieur le comte était plus attentif qu'il ne le prétendait... Idalina, ravie, s'empressa de lui obéir. Ses amies l'attendirent dans le hall. Idalina redescendait lorsque Gina réapparut avec un téléphone portable dans une main et un petit carton dans l'autre.

— À nous deux, professeur, marmonna
Gina en tapant sur son écran.

Naïma tourna sur elle-même, les sourcils
froncés.

— Vous n'entendez pas une sonnerie ?
demanda-t-elle.

Gina contempla son téléphone, coupa la
communication puis recomposa le numéro.
À nouveau, le bruit étouffé de la sonnerie se
fit entendre.

— Ce n'est pas vrai ! s'exclama-t-elle. Ça
vient de la bibliothèque !

Elle se dirigea vers une porte fermée, suivie
par des Kinra Girls très curieuses.

En voyant le désordre dans la pièce, Rajani ne
résista pas à se moquer de sa colocataire.

— C'est presque pire que ma chambre, du
côté de Kumiko !

— C'est malin, répliqua l'intéressée en

haussant les épaules.

— Je l'ai trouvé ! cria Alexa. Il était sous ce tas de vieux papiers ! Ce n'est pas un peu bizarre que Bardi ait laissé son portable et son imperméable ?

— C'est simple, dit Rajani. Hier, il faisait très chaud, il n'a pas pris son imper pour se rendre au musée. Quant à son téléphone, il l'a oublié. Il était bien caché, il ne l'a pas vu ! Romeo se présenta à la porte et annonça qu'il était prêt. Idalina lui tendit son guide touristique. Il s'en saisit et s'en débarrassa aussitôt en le donnant à Gina à qui il réclama les clés du minibus. Celle-ci répondit que les clés étaient sur le véhicule puis elle rendit le livre à Idalina.

— Suivez-moi, mesdemoiselles ! lança joyeusement Romeo.

— On ne regarde pas dans mon guide avant ? s'étonna Idalina.

– Pour quoi faire ?

– Mais... c'est vous qui vouliez que...
balbutia Idalina.

Romeo ne l'écoutait plus et s'éloignait à
grandes enjambées.

Une demi-heure plus tard, il garait le minibus
devant un magnifique palais.

– Nous sommes à Tivoli, déclara-t-il. Et ce
bâtiment est la villa d'Este.

Il pénétra dans les lieux comme s'il était le
propriétaire. On aurait d'ailleurs pu le croire
car un employé souriant permit à la petite
troupe de passer devant la file de touristes.

– C'est pratique de voyager avec vous !
ricana Alexa. On n'a pas payé l'entrée !

– Je suis un généreux donateur, dit
Romeo.

La villa d'Este était construite sur une colline.
La vue sur le paysage environnant, vallonné
et verdoyant, déclencha des exclamations

d'admiration. Cependant, son exceptionnel panorama n'était pas son plus bel atout.

– La villa d'Este date du XVIe siècle, expliqua Romeo. Et voici ce qui l'a rendue célèbre…

Les Kinra Girls restèrent silencieuses en découvrant les jardins d'en haut. Ici, la verdure et la pierre avaient perdu la bataille contre l'eau.

– Tous les matins, poursuivit Romeo, on ouvre une vanne pour amener l'eau de la rivière Aniene grâce à un aqueduc. On n'a besoin d'aucune machinerie. La gravité, seule, suffit. Et ça fonctionne parfaitement depuis des centaines d'années ! Descendons.

Les arbres offraient un ombrage bienvenu sous un soleil déjà implacable malgré l'heure matinale. De toutes parts, les fontaines et les jets d'eau chantonnaient ou grondaient. Dans les grands bassins calmes se reflétait un ciel d'azur. Les innombrables statues semblaient regarder les promeneurs avec bienveillance. Chaque chemin vous réservait une surprise : une grotte, une fontaine en forme de coquille, une autre en forme de bateau...

– J'entends de la musique, remarqua Idalina, étonnée.

Elle ne se trompait pas. Bientôt, leurs pas les conduisirent à la monumentale fontaine de l'Orgue. Au cœur de la construction se trouvait, effectivement, un orgue actionné par la force de l'eau. Cet ingénieux mécanisme était l'œuvre d'un Français, Claude Venard. Les sons qui sortaient des tuyaux n'étaient pas aussi beaux que ceux d'un orgue d'église. Néanmoins, l'orgue jouait de véritables airs.

Mais l'endroit le plus charmant des jardins était, sans nul doute, l'allée des Cent Fontaines. La végétation envahissait le long

mur de pierre d'où l'eau jaillissait
par des têtes de personnages ou
d'animaux, des petites barques ou
des lis.

Les jardins de la villa d'Este étaient très
étendus. Alors, aussi agréable que fût la
promenade, elle était également épuisante
par cette chaleur. Par chance pour les Kinra
Girls, Romeo avait soif. Bien sûr, il connaissait
le meilleur café de Tivoli. Où, bien sûr, on
connaissait Monsieur le comte !

    – Je crois que je pourrais m'y faire, dit
sérieusement Naïma, d'habiter en Italie.
Elle était en train de déguster un *ninetto*, une
glace au chocolat et à la crème.

Chapitre 7

Disparu ?

Idalina bâilla. Rajani piqua du nez dans son assiette. Elle eut un sursaut et se redressa.

— Je vais m'endormir sur ma chaise ! s'exclama-t-elle.

— Tu n'es pas la seule, répondit Naïma. Voilà ce qui arrive quand on est réveillé à l'aube.

— Petites natures ! se moqua Kumiko. Moi, je suis en pleine forme ! Et Alexa aussi ! L'Australienne la regarda d'un air sombre, néanmoins elle ne la contredit pas. Gina, revenue pour débarrasser la table, leur conseilla de faire une sieste. Romeo s'était absenté pour le restant de l'après-midi. Mais Gina était persuadée qu'il avait prévu quelque chose pour la soirée.

Les filles remercièrent Gina pour le déjeuner et s'acheminèrent vers l'étage. Kumiko entra dans sa chambre et se posta derrière sa porte, l'oreille collée au battant. Quand elle n'entendit plus rien, elle ressortit dans le couloir…

Alexa se retourna brusquement et poussa un petit cri. Kumiko porta l'index sur ses lèvres.

– Chhhhuuuut ! Pas de bruit…

– T'es drôle, toi. Tu m'as surprise. Qu'est-ce que tu veux ?

– On ne va quand même pas faire la sieste comme les bébés ?

– Va en parler aux trois autres.

– Tu sais bien que ce n'est pas la peine.
Alexa s'assit sur son lit, indécise.

– On est coincées ici, remarqua-t-elle.
Alors, c'est quoi, ton idée ?

– Mener l'enquête.

– Hein ? Quelle enquête ?
Kumiko alla rejoindre son amie sur le lit.

– Sur le *signore* Bardi.

– Comprends pas.

– Enfin, voyons ! s'excita Kumiko. Tu
as dit toi-même que c'était bizarre qu'il ait
laissé son imper et son téléphone dans la
bibliothèque !

– Il les a oubliés, c'est tout.

– Je l'ai pensé aussi. Au début. Dis-moi, au
bout de combien de temps t'apercevrais-tu
que tu n'as plus ton téléphone portable ?

– Je n'en ai jamais eu. D'accord,
imaginons… Eh bien, si j'en avais un,
j'appellerais l'une des Kinra Girls toutes les

Disparu ?

cinq minutes ! Il ne me faudrait pas longtemps pour m'apercevoir que je l'ai perdu. Ah, ah ! Ça y est ! J'ai résolu l'affaire ! L'explication, c'est que Bardi n'a aucun ami !

Kumiko tenta en vain de garder son sérieux.

– Ça ne m'étonnerait pas ! Peut-être que Bardi n'a pas d'ami à appeler mais il peut avoir besoin de son portable pour autre chose. Il a un smartphone, il a probablement des photos, son agenda, son carnet d'adresses dedans...

– On n'a qu'à vérifier.

– Fouiller dans son téléphone ? Ça ne se fait pas, ça ! C'est privé !

– C'est toi qui veux enquêter !

Kumiko réfléchit un court instant. Puis elle suggéra de se rendre à la bibliothèque et d'examiner les indices à leur disposition : les recherches du *signore* Bardi. Malgré ses doutes, Alexa accepta la proposition parce que ça l'amusait de jouer les détectives.

Les deux complices se faufilèrent dans le couloir. Elles s'arrêtèrent en haut de l'escalier d'où elles surveillèrent le hall. Personne. Alors qu'elles descendaient, Alexa commença à rire. Kumiko, qui la devançait, se retourna vers elle, fâchée. Du coup, elle rata la dernière marche et se rattrapa de justesse à la rampe. Alexa en rit d'autant plus fort.

— Chuuuut ! susurra Kumiko. T'es insupportable...

— Je pensais à nos têtes si on se retrouvait nez à nez avec Bardi !

Kumiko s'avança résolument vers la bibliothèque.

— On ne nous a pas interdit de visiter la maison, rétorqua-t-elle.

Elle eut tout de même un petit pincement au cœur en ouvrant la porte. Elle sursauta

involontairement. L'espace d'une seconde, elle avait cru qu'il y avait quelqu'un.

C'était la statue de Jupiter, brandissant l'imperméable !

Kumiko contempla la longue table qui trônait au centre de la pièce. Des piles de livres, des boîtes de rangement, des classeurs, des tonnes de vieux papiers jaunis, des parchemins usés, partout, partout ! Pas un centimètre de libre.

— Il y a un grand bloc, remarqua-t-elle. J'ai l'impression que ce sont ses notes. Ah, zut... C'est en italien.

De son côté, Alexa s'intéressait aux documents qui paraissaient les plus anciens.

— Du latin ! s'exclama-t-elle. On ne tirera rien de tout ça. Il nous reste le téléphone.

Alexa s'empara de l'appareil et l'alluma.

— Verrouillé... On remonte faire la sieste ? Mais Kumiko ne voulait pas s'avouer vaincue.

Disparu ?

Elle fouilla dans les papiers avec précaution, car certains semblaient près de partir en morceaux. Soudain, son attention fut attirée par un long tube en carton. Elle s'en empara, enleva le capuchon et en sortit une grande feuille roulée. L'intérêt d'Alexa, qui s'ennuyait depuis quelques minutes, se ranima. Elle aida son amie à dérouler la feuille et à la coincer sous des livres.

– C'est le plan d'une maison, non ? dit Kumiko. Ce n'est pas le *palazzo* d'Ulpiano. Et ça ne ressemble pas non plus au château de l'Académie Bergström.

– Il y a des mots écrits. C'est difficile de les lire, ils sont presque effacés. « A... Atri... um. Atrium. Implu... », un truc en « *um* ». Je te parie que c'est du latin.

– Attends, il me semble que j'ai vu quelque chose dans le bloc.

Kumiko feuilleta les pages noircies. Elle pointa le doigt.

— Voilà. Bardi a redessiné le même plan. C'est bizarre. On dirait qu'il a dessiné un autre plan par-dessus au stylo bleu. Tu parles d'un gribouillage ! À certains endroits, les lignes noires et bleues se confondent. Et là, ça ne correspond plus du tout. Qu'est-ce que Bardi peut bien chercher ?

Le regard songeur d'Alexa dériva vers la fenêtre. Elle surprit son amie en se précipitant vers la statue de Jupiter.

— Alexa ! Ne fouille pas dans les poches de l'imperméable !

— Si ! Ah, ah ! Qu'est-ce que c'est, ça ? Heu... Hum.

Kumiko éclata de rire en apercevant ce qu'Alexa tenait dans le creux de sa main.

— Bravo ! se moqua-t-elle. Tu as découvert que Bardi aime les bonbons !

Disparu ?

— Bon, ça va, hein. Et je n'ai pas fini de fouiller. Ah ? j'ai un bout de papier ! Voyons ça… Raimondo Como. C'est un nom, je suppose. Et ça, son numéro de téléphone.

Kumiko lui demanda de lui apporter le papier. Elle l'examina puis le posa à côté du bloc.

Elle était déçue des résultats de son enquête. Des gribouillis et le nom d'un inconnu, elle n'était guère avancée ! Elle rangea soigneusement le plan dans son tube, jeta un dernier regard aux notes de Bardi et replaça le bout de papier dans la poche de l'imperméable.

Alexa était contente de retourner dans sa chambre. Une petite sieste, enfin !

Chapitre 8

Mais l'enquête continue !

lexa n'était endormie que depuis
quelques minutes. Une main lui
secoua l'épaule.

– Kumiko, laisse-moi tranquille, maugréa-
t-elle, les paupières toujours closes.

– Non, c'est Idalina. Romeo est de retour.
Il veut nous emmener quelque part…
Alexa ouvrit les yeux, bâilla, et s'assit sur son
lit. Elle expliqua à son amie qu'elle n'avait pas
pu se reposer et pourquoi. Idalina n'apprécia
pas d'avoir été écartée de « l'enquête ».

Les Kinra Girls devaient toujours tout faire ensemble ! Alexa se défendit. Ce n'était pas son idée !

De son côté, Kumiko avait rapporté les événements aux deux autres filles. Et elle faisait face à leurs reproches.

– Tu te conduis comme Alexa, la gronda Rajani.

À ce moment-là, l'Australienne sortit de sa chambre en compagnie d'Idalina. « Ça y est, pensa-t-elle, ça va encore être de ma faute ! »

– Ce n'était pas une bêtise ! protesta Kumiko. L'absence de Bardi n'est pas normale. Il lui est arrivé quelque chose, j'en suis sûre.

Naïma entendit un léger bruit et se retourna. L'expression sur son visage incita ses camarades à se taire aussitôt. Mais trop tard...

– Quel genre de bêtise ? demanda Romeo en s'avançant vers elles.

– Ce n'en était pas une ! répondit Kumiko.

On a juste cherché des indices dans les
papiers et les notes du *signore* Bardi. Pour…
pour savoir où il avait pu passer.
Romeo n'avait pas du tout l'air fâché. Au
contraire, l'histoire semblait l'intéresser.

— Et qu'avez-vous trouvé ?

— Ben, presque rien… Un nom et un
numéro de téléphone. Alexa, tu te souviens
du nom ?

— Raimondo Como, dit Alexa.

— Raimondo Como ? répéta Romeo. C'est
le directeur de mon musée. Je ne vois pas ce
que Bardi pouvait bien lui vouloir.
Kumiko fronça les sourcils, signe d'une
intense réflexion. Elle surprit tout le monde
en partant comme une flèche vers l'escalier.

— Ça y est ! s'exclama-t-elle. J'ai compris !
Enfin, je crois !

— Kumiko est très forte pour les
déductions, expliqua Idalina à Romeo.

Ce qui fit sourire Monsieur le comte...

— Eh bien, quoi, vous venez ? cria Kumiko, déjà au bas des marches.

Dès qu'elle fut dans la bibliothèque, elle ouvrit le tube en carton et déroula la feuille qu'il contenait.

— Alors ? fit Rajani en entrant. Qu'est-ce que tu as découvert ?

Kumiko sentit les regards peser sur elle. C'était intimidant ! Et si elle se trompait complètement ? Comment Romeo allait-il réagir ?

— Heu... voilà. Ceci est le plan d'une maison. Les mots en latin indiquent qu'il s'agit d'une maison de l'Antiquité romaine. Bardi a recopié ce plan dans son bloc-notes et il a dessiné un autre plan par-dessus. Je n'ai pas reconnu tout de suite ce que c'était. Maintenant, je suis sûre que c'est le plan du musée d'Ulpiano ! Ça signifie que le musée a été construit sur une maison ancienne, non ?

— C'est possible, admit Romeo. Faites un trou n'importe où en Italie et vous tomberez sur des vestiges remontant aux premiers siècles de notre ère !

Il examina attentivement les documents. Il affirma que le grand plan ne venait pas de ses archives personnelles. Le *signore* Bardi l'avait apporté avec lui.

— Je vous parie qu'il cherchait des preuves

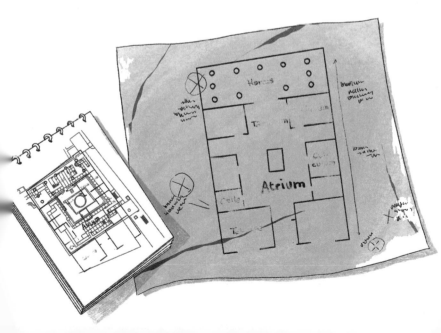

de l'existence de la maison sous le musée, dit Kumiko. C'est pour ça qu'il avait le numéro de Raimondo Como. Peut-être pour obtenir l'autorisation de faire des fouilles... Souvenez-vous que Bardi a essayé de convaincre M. Meyer de creuser dans le parc de l'Académie Bergström pour la même raison. Il voulait savoir ce qu'il y avait sous le labyrinthe végétal[14].

– Pour l'autorisation, c'est à moi qu'il faudrait la demander, remarqua Romeo. Le musée est fermé aujourd'hui mais je peux joindre Raimondo chez lui. Espérons qu'il pourra nous éclairer.

– Fermé ? dit Idalina. Et si... Bardi y était encore ?

– C'est là où je voulais en venir ! répondit Kumiko. La dernière fois qu'on a vu Bardi, c'était pendant le bal des fleurs. Et puis, pfuit ! Disparu ! Il a dû avoir envie d'explorer les

14. *Voir le tome 19 de la série classique Les Kinra Girls,* La Rose bleue.

lieux et il s'est retrouvé enfermé ! Et comme il a oublié son portable ici, il n'a aucun moyen de prévenir quelqu'un !

— Ça lui apprendra ! ricana Alexa. Et ce n'est pas si grave, il sera délivré demain !

Romeo s'absenta quelques instants pour appeler son directeur. Kumiko se mordilla nerveusement les lèvres. Le doute l'avait envahie. Rajani la rassura. Peut-être allait-on déranger Raimondo Como pour rien. Mais il valait mieux être sûr.

Romeo revint, la mine soucieuse.

— Tu avais raison, Kumiko. Le professeur a téléphoné au musée. Raimondo lui a donné son numéro de portable pour convenir d'un rendez-vous dans la semaine. Il suffisait à Bardi d'attendre. Qu'est-ce que cet imbécile a fait ?

— On va voir au musée ? demanda Naïma.

— Pas le choix ! Allez, venez. Carlo ! Carlo !

La petite troupe arriva sur place avant le directeur dont la présence était indispensable. Romeo ne connaissait pas le code de l'alarme. Une voiture verte apparut bientôt et se gara sur le parking. Un homme au visage sympathique en descendit.

– Eh bien ! lança-t-il en riant. Allons-nous résoudre un mystère ? Suivez-moi. On entre par la porte à l'arrière.

Le musée désert était impressionnant. Les Kinra Girls gardèrent le silence en parcourant les salles. Romeo, toujours aussi discret, hurla le nom de Bardi à plusieurs reprises. Puis il fallut se rendre à l'évidence.

– Personne ! s'exclama Naïma.

– Désolée... murmura Kumiko, très embarrassée.

Mais Alexa n'était pas prête à renoncer. Elle pointa le doigt vers un escalier dont l'accès était empêché par un cordon rouge.

– Où on va par là ?

– Au sous-sol où il y a
les réserves, dit Raimondo.

– C'est là que Bardi se
trouve ! affirma Alexa. Ce
qu'il cherche, ce sont des traces
prouvant qu'il y avait une maison de
la Rome antique. Il ne va pas les chercher au
premier étage !

– Il est peut-être encore en bas à fouiller
partout, ajouta Rajani. Il est très têtu ! Ça ne
coûte rien de vérifier.

Romeo approuva. Au point où ils en étaient,
autant aller jusqu'au bout !

L'escalier conduisait à un couloir qui menait
à une double porte. Raimondo appuya sur la
clenche et poussa… poussa… jusqu'à devenir
tout rouge. Romeo lui prêta main-forte.

À eux deux, ils réussirent à ouvrir la porte
suffisamment grand pour voir ce qui la bloquait.

Mais l'enquête continue !

– Des caisses de transport ont
été renversées, constata Raimondo.
Heureusement que celles-ci sont vides !
Il fut surpris quand Alexa se faufila devant
lui et escalada la pile de caisses de bois. L'une
d'elles bascula brusquement et Alexa se
retrouva projetée par terre.

– Tout va bien ! Je n'ai pas de mal !

– Au secours ! lui répondit une voix faible.
Romeo et son directeur échangèrent un bref
regard. Puis sans un mot, ils entreprirent
de dégager le passage. Alexa s'était relevée
et examinait le chaos autour d'elle. Des
boîtes de toutes tailles, des armoires de
rangement, des vitrines d'exposition et des
caisses jonchaient le sol. Elle aperçut un bras
qui s'agitait. Il semblait sortir d'un amas de
vitrines brisées sur lesquelles s'était écrasée
une grosse armoire.

– À l'aide ! Qu'est-ce que vous attendez ?

Raimondo contemplait le désastre d'un air consterné. Romeo le secoua par la manche pour le tirer de sa torpeur. Puis il se tourna vers les Kinra Girls.

– Remontez, leur ordonna-t-il. Carlo vous ramènera au *palazzo*.

– Mais… commença Kumiko.

– Il n'y a pas de « mais » ! Obéissez ! Raimondo, appelez immédiatement les pompiers. Il vaut mieux que nous ne touchions à rien.

– Quoi ? cria Bardi.

– Mon cher ami, dit Romeo, un peu de patience. C'est un travail pour des professionnels.

– Hein ? Mais…

– Il n'y a pas de « mais ».

Tout redevient normal...
ou peut-être pas !

Postée derrière la porte-fenêtre, Kumiko guettait le retour de Romeo. Elle annonça à ses amies qu'un taxi venait d'entrer dans la propriété. Peu après, Monsieur le comte rejoignait les Kinra Girls dans la galerie des cages.

– M. Bardi va bien ? demanda Idalina d'une petite voix inquiète.

– Assez bien pour me menacer d'un procès ! répondit Romeo, hilare.

– Un procès ? s'étonna Rajani. Pourquoi ?

Tout redevient normal... ou peut–être pas !

Toujours en riant, Romeo leur raconta ce qu'il s'était passé après leur départ du musée. Les pompiers, avec beaucoup de précautions, avaient libéré le *signore* Bardi. Dans son malheur, celui-ci avait eu de la chance. Il s'en tirait avec de nombreuses coupures causées par les bris de verre et un traumatisme sévère au niveau d'un genou. La lourde armoire qui s'était effondrée sur les vitrines l'avait épargné mais l'avait empêché de se dégager.

— Sans les talents du détective Kumiko, il aurait pu rester coincé là-dessous pendant encore de longues heures ! Je l'ai expliqué à Bardi...

— Et qu'est-ce qu'il a dit ? s'enquit Kumiko.

— Pas merci, en tout cas. Il n'est pas du tout reconnaissant. Il nous reproche son accident. Bardi a voulu déplacer une pile de caisses pour voir ce qu'il y avait en dessous.

La caisse du dessus a basculé sur une vitrine qui s'est écrasée sur la vitrine d'à-côté et ainsi de suite… Et tout est tombé à la manière d'un jeu de dominos ! C'est donc ma faute, d'après Bardi. Notre réserve représente un danger. Tout y est rangé n'importe comment, les objets sont empilés sans être sécurisés…

    – Il veut vous faire un procès à cause de ça ? s'exclama Alexa.

    – Oui… jusqu'à ce que je lui aie fait aimablement remarquer qu'il s'était introduit dans une zone interdite au public sans autorisation. Et que, par conséquent, il était responsable de la casse. Ça l'a vite calmé !

    – Je ne comprends pas ce que Bardi espérait trouver au sous-sol, dit Naïma.

    – Le *signore* Bardi pense que le tracé de notre réserve suit exactement celui de l'atrium de la maison romaine. Un atrium est une cour carrée à ciel ouvert. Il comporte un bassin pour recueillir l'eau de pluie. Bardi essayait de déterminer quel était le meilleur endroit où creuser, sans endommager les vestiges de la maison. J'aurais apprécié qu'il se préoccupe aussi de ne pas abîmer mon musée.

– Il croit que vous allez le laisser faire un trou ? s'écria Kumiko.

– Je ne ferai rien avant d'avoir l'avis d'architectes et d'archéologues. Il faudrait savoir s'il est possible d'accéder à la maison sans mettre le palais en péril. Enfin, je m'occuperai de ça lundi ou mardi... ou la semaine prochaine... ou dans un an.
Gina fit son apparition pour demander si les spaghettis au fromage de brebis convenaient à tout le monde. Romeo la regarda avec étonnement.

– Pourquoi nous parlez-vous de spaghettis ?

— Pour le dîner, Monsieur le comte. À cette heure-ci, les gens normaux dînent.

— Mais je voulais emmener les filles faire un tour dans le quartier du Panthéon !

— Après une journée aussi riche en émotions, les gens normaux se reposent, Monsieur le comte.

— Et j'ai également prévu d'aller chez Monti. Son risotto au homard, quelle merveille ! Ensuite on ira chez Armando, pour y écouter un groupe de chanteurs siciliens.

— Les gens normaux dorment la nuit, Monsieur le comte.

Romeo garda le silence quelques secondes avant de répondre d'un air songeur :

— Ils sont embêtants, tous ces gens normaux...

Gina leva les bras au ciel, comme à son habitude. Romeo n'était pas distrait au point de ne pas voir que ses jeunes invitées étaient fatiguées. Il pria Gina de s'occuper d'elles. Lui, il avait rendez-vous avec un risotto et des chanteurs siciliens.

La bonne cuisine de Marta était exactement ce qu'il fallait aux Kinra Girls. Elles se sentirent beaucoup mieux après avoir mangé. Naïma s'étira et bâilla.

– On doit se lever tôt, se rappela-t-elle. Allons nous coucher si on veut être en forme pour notre journée de travail avec Asa.

Les filles embrassèrent Gina et Marta et montèrent à l'étage. Une fois dans le couloir, Rajani donna un léger coup de poing dans le bras de Kumiko.

– Hé, toi ! Si tu n'étais pas aussi entêtée, le *signore* Bardi serait toujours prisonnier dans un sous-sol ! Tu peux être fière de toi.

– Tu es notre héroïne ! renchérit Idalina. Vous vous rendez compte que ce pauvre Bardi aurait pu attendre jusqu'à demain matin avant d'être secouru ? Horrible !

– C'est vrai qu'il n'est pas très sympa, ajouta Naïma, mais il ne méritait pas ça. Bravo à notre super détective !

– Oh bah, merci, répondit Kumiko, émue.

– J'y suis quand même pour quelque chose... marmonna Alexa en ouvrant la porte de sa chambre.

Kumiko l'entendit-elle ? Peut-être. En tout cas, elle n'oublia pas ce qu'elle lui devait.

– Sans Alexa, je n'aurais pas eu le courage de mener mon enquête. Et je n'aurais jamais osé fouiller dans les poches de l'imperméable !

Alexa se retourna et lui sourit.

– Et maintenant qu'on en a fini avec les compliments, dit Rajani, ne recommencez jamais ça ! Ce n'est pas Kumiko et Alexa, *forever*[15] ! C'est Kinra Girls, *forever* ! Compris ?

15. Forever *(en anglais) : pour toujours.*

Tout redevient normal... ou peut–être pas !

—Vous vouliez faire la sieste, remarqua
Kumiko.

— Ce n'est pas une raison ! rétorqua
Naïma. Tu aurais dû nous prévenir !

— D'accord, d'accord ! Je ne le ferai plus !
Promis !

Quatre paires d'yeux se posèrent sur Alexa.

— Bonne nuit ! s'écria celle-ci en
s'empressant de refermer sa porte.

— Je suppose que de promettre d'arrêter
les bêtises est au-dessus de ses forces,
commenta Rajani en soupirant.

***

Les Kinra Girls passèrent la matinée dans les
bureaux romains de la Fondation Bergström.
Elles apprirent beaucoup de choses sur les
écoles créées partout dans le monde. Asa

remit à chacune un dossier sur la Fondation, à lire plus tard.

Un monsieur sérieux avait été engagé pour diriger un cours sur « l'art de se comporter en public ». C'était le titre de son livre. Au bout d'un quart d'heure, Asa l'interrompit.

– Il faudrait que vous utilisiez des mots plus simples, elles n'ont que 11 ans...
Le monsieur sérieux n'était pas disposé à faire un effort. On n'allait pas lui dire comme faire son métier, non ? C'est lui qui avait écrit un livre, lui ! Quelques minutes plus tard, Asa l'interrompait de nouveau. Alors, le monsieur sérieux ramassa ses affaires et partit, furieux.

– Ouf ! J'allais mourir d'ennui ! avoua Kumiko.

– Bon ! s'exclama Asa en riant. J'ai commis une erreur en faisant appel à un spécialiste ! Je crois que je peux avantageusement le remplacer. Mais, d'abord, je vais commander à manger.

En partageant des pizzas avec les filles, Asa donna quelques conseils faciles à comprendre.

– Idalina, parle plus fort. Rajani, détends-toi ! Alexa, tu n'es pas toute seule, laisse parler les autres ! Naïma, parle moins vite. Kumiko, réponds aux questions, tu as tendance à te disperser. Et enfin... ne changez rien ! Gardez votre spontanéité et votre naturel, c'est pour ça que les gens vous adorent !

– Quand partons-nous ? demanda Naïma. Et où ?

– Ce n'est pas encore décidé. Un voyage se prépare. C'est toute une organisation. Je veillerai à ce que votre première expérience d'ambassadrices ne soit pas stressante.

Le regard de Naïma s'échappa vers le ciel bleu qui illuminait la fenêtre. Elle rêvait toujours d'ours blancs...

L'après-midi était déjà bien entamé quand
Carlo se présenta. Il était temps de rentrer au
palazzo. Le trajet de retour fut un peu morose.
Les Kinra Girls étaient tristes à l'idée de
quitter leurs amis italiens.

Romeo prenait son café dans la galerie des
cages quand elles arrivèrent. Elles s'assirent
avec lui pour déguster un rafraîchissant jus
d'orange.

— Ce soir, je vous emmène dans un
charmant restaurant, dit Romeo. La vue sur la
ville depuis la terrasse est époustouflante !

— Notre vol est aux aurores, demain matin,
remarqua Rajani. Et on doit faire nos bagages.

— On a travaillé toute la journée, j'ai mal à
la tête, se plaignit Kumiko. On est crevées...

— Ah ! fit Romeo. Alors, une balade dans
les parcs avant le dîner, c'est non aussi ?

— On a envie de rester avec Gina et Marta
pour notre dernière soirée, répondit Idalina.

Heu... et avec vous, bien sûr !

— Qu'est-ce que ce bruit déplaisant, à la fin ? râla Romeo.

Depuis quelques secondes, le conducteur d'une camionnette klaxonnait frénétiquement à la grille. Quelqu'un dut lui ouvrir car, bientôt, le véhicule se garait dans la propriété.

On entendit d'abord les cris excités de Gina dans le hall. Et soudain, une femme en short et portant un chapeau de cow-boy entra comme une tornade dans la galerie des cages. Dans son visage bronzé, ses yeux bleus souriaient. Il était difficile de lui donner un âge, même si on devinait qu'elle n'était plus toute jeune.

Romeo se précipita vers elle pour l'embrasser.

— *Cara Nonna*[16] ! s'écria-t-il.

Les filles observaient la scène sans

16. Cara Nonna *(en italien) : chère Grand-mère.*

comprendre. Romeo se tourna vers elles et
dit d'un air malicieux :

— *Nonna*, voici les fameuses Kinra Girls.
Mes amies, ma grand-mère Cleopatra.
Qui revient de son tour de l'Afrique à la
voile… *Nonna*, tu devais être là plus tôt ! Je
commençais à m'inquiéter !

— Stupide problème avec les douaniers. Il
a fallu que j'appelle le président pour régler la
question.

— Le président de quoi ? demanda Naïma.

— De la République italienne, évidemment.
Idalina était sous le choc. Les délirantes
histoires de Romeo sur ses grands-mères
étaient donc… vraies ?

— Enchantée, madame, dit Rajani, se
souvenant brusquement de ses bonnes
manières.

— Je suis *Nonna* pour tout le monde ! Je
suis ravie de vous rencontrer.

À ce moment-là, Romeo regarda par la grande baie vitrée de son salon.

– *Nonna,* qu'est-ce que cette chose qui se promène dans mon jardin ?

– Un orang-outan.

– C'est bien ce qu'il me semblait.

Les Kinra Girls crurent avoir mal entendu. Ou c'était une plaisanterie... Mais Cleopatra se dirigea vers la porte-fenêtre ouverte et appela d'une voix forte :

– Bella ! Bella !

Et apparut... Bella.

Kumiko, qui avait peur des grosses bêtes, bondit hors de sa chaise et se réfugia en tremblant dans un coin du salon. Rajani l'aurait imitée si elle n'avait pas été figée par la surprise. Naïma restait comme hypnotisée par la vision. Idalina était fâchée contre elle-même. Elle aurait aimé faire un câlin à l'orang-outan et devenir sa meilleure copine.

Tout redevient normal... ou peut–être pas !

Hélas, elle avait la trouille !

— Vous n'avez rien à craindre, dit
Cleopatra. Elle est très gentille.

Bella s'assit tranquillement sur le tapis. Elle
observa les enfants avec intérêt.

Alexa, les joues rouges, se leva si brutalement
que sa chaise vacilla. Elle laissa exploser sa
colère.

— C'est une honte ! Ce n'est pas un chien !
Vous n'avez pas le droit de la priver de sa
liberté ! Les animaux sauvages appartiennent
à la nature !

— Oh, je suis bien d'accord, répondit
doucement Cleopatra. Mais si on relâchait
Bella dans une forêt de Bornéo, elle ne
pourrait pas survivre. Elle est née dans un
cirque, elle a toujours vécu en compagnie
des hommes. Elle est trop âgée pour être
rééduquée à la vie sauvage. Elle chercherait à
se rapprocher des hommes au lieu de les fuir.

Le risque serait grand qu'elle soit tuée par des chasseurs ou des paysans.

Cela fit réfléchir Alexa. Cependant, elle n'en avait pas fini.

    – Si elle était dans un cirque, comment elle s'est retrouvée avec vous ?

    – Ah, ça ! Je longeais la côte de la Namibie…

La ressemblance entre Cleopatra et Romeo était évidente. Ils racontaient tous les deux les plus incroyables histoires.

Bella était née dans un cirque sud-africain. Celui-ci avait fait faillite. Les animaux avaient été vendus à d'autres cirques ou à des particuliers. Bella avait été achetée par une dame qui pensait que c'était chic de posséder un orang-outan. Mais elle s'en était vite lassée et avait chargé un de ses employés de s'en débarrasser.

Le brave employé ne voulait pas

faire de mal à cette pauvre bête.

Alors il avait donné Bella à un de ses cousins qui était cuisinier sur un cargo. Les matelots aimaient beaucoup l'orang-outan et s'en occupaient bien. Malheureusement, le propriétaire du navire apprit la chose et il n'était pas du tout d'accord. Il ordonna à son capitaine de jeter Bella à la mer.

– Oh non ! gémit Idalina, horrifiée. Il n'a pas fait ça ?

– Le cargo remontait le long de la côte de la Namibie, poursuivit Cleopatra. Et mon voilier se trouvait exactement dans le même secteur. Nous nous sommes croisés... Bref, pour faire court, les marins m'ont suppliée de sauver Bella. Ce que j'ai fait, comme vous le voyez... d'où les petits problèmes avec la douane. Mais tout ça, c'est du passé !

Bella avait écouté le récit de sa vie avec

attention. Elle se redressa et se dirigea droit vers Kumiko. Elle lui prit la main et la conduisit jusqu'au milieu de la pièce.

– Elle a senti que tu étais apeurée, remarqua Cleopatra. Elle veut te rassurer.

– Bah, ça va maintenant... murmura Kumiko.

– Bon, OK, dit Alexa. Je suppose que Bella est mieux avec vous.

– Ah ! Tu m'autorises à la garder, alors ? Alexa saisit bien l'ironie dans la voix de Cleopatra. Elle répliqua sur le même ton :

– Ça ira pour cette fois !

Romeo demanda à Cleopatra si elle avait l'intention de repartir prochainement.

– Je reste au *palazzo*, pour le moment, répondit-elle. Un long moment... Ah, au fait ! J'ai, récemment, eu une intéressante conversation au téléphone avec ce cher Frederik Bergström...

au sujet de petites filles qui auraient besoin
de quelqu'un pour veiller sur elles. Quelqu'un
d'autre qu'un extravagant comte italien.
Une extravagante grand-mère pourrait faire
l'affaire.
Elle regarda les Kinra Girls en souriant.
Bella secoua énergiquement la tête comme
si elle acquiesçait. Sans aucun doute, elle
souriait aussi.

VOCABULAIRE

Adjö (en suédois) : au revoir. Prononcer « ayeu ».

Atrium (en latin) : cour carrée à ciel ouvert d'une maison romaine (durant l'Antiquité). Comporte un bassin pour recueillir l'eau de pluie.

Buon giorno (en italien) : bonjour.

Cara Nonna (en italien) : chère Grand-mère.

Caterinetta (en italien) : désigne une glace au miel et à la vanille.

Forever (en anglais) : pour toujours.

Gelato (en italien) : glace.

Grazie mille (en italien) : merci beaucoup. Prononcer « gratsié millé ».

Magnifico (en italien) : magnifique.

Ninetto (en italien) : désigne une glace au chocolat et à la crème.

No (en italien) : non.

Palazzo (en italien) : palais.

Risotto al funghetto (en italien) : riz aux champignons.

Signore (en italien) : monsieur.

Tartufo (en italien) : désigne une glace à la noisette avec un cœur au chocolat et saupoudrée de cacao amer.

La Villa d'Este

La villa d'Este

Cet incroyable palais se situe dans la ville de Tivoli, à quelques kilomètres de Rome.

C'est le cardinal Hippolyte II qui en commande la construction au XVIe siècle pour montrer sa puissance.

Le palais fait face à des jardins exceptionnels construits en étage qui font la célébrité du lieu. On compte plus de 50 fontaines, 200 jets d'eau et une dizaine de cascades !

La fontaine de l'Orgue que remarque Idalina est particulièrement impressionnante et son fonctionnement, surprenant. L'eau en chutant fait remonter de l'air dans les tuyaux et actionne une roue qui appuie sur les touches de l'orgue.

Ces jardins ont servi de modèle dans toute l'Europe. Aujourd'hui encore, c'est un lieu très visité.

hello Roma !

CARTE DE ROME

❀ Là, le cirque de Néron, où avaient lieu les courses de chars !

Naïma

Vatican

❀ Ici, on peut voir des œuvres célèbres dans le monde entier !

Kumiko

❀ Ici, l'Académie nationale de danse !

Rajani

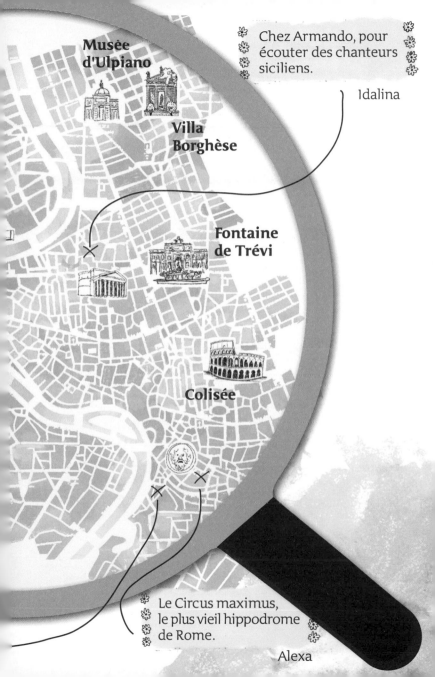

Musée
d'Ulpiano

Villa
Borghèse

Chez Armando, pour
écouter des chanteurs
siciliens.

Idalina

Fontaine
de Trévi

Colisée

Le Circus maximus,
le plus vieil hippodrome
de Rome.

Alexa

TOUTE LA COLLECTION

 k

 i

 n

 r

 a

 LA RENCONTRE DES KINRA GIRLS **1**

 LE CHAT FANTÔME **2**

 LES GRIFFES DU LION **3**

 QUI A PEUR DES FANTÔMES ? **4**

 DESTINATION JAPON **5**

 LA CLÉ D'OR **6**

PREMIER AMOUR **7**

 LE ROYAUME DES OMBRES **8**

 SUR LA PISTE DU TRÉSOR **9**

 CARTES POSTALES DU MONDE **10**

 LE DRAGON BLEU **11**

 VOYAGE EN PAYS HANTÉ **12**

 LE PALAIS DE LA LUNE **13**

 UNE SORCIÈRE AU CHAT **14**

 UN AMOUREUX SECRET **15**

 FAITES UN VŒU **16**

 LES GARÇONS À LA RESCOUSSE **17**

 LES PORTES MAGIQUES **18**

 LA ROSE BLEUE **19**

 LA MAISON ABANDONNÉE **20**

 LE SECRET DES BELLES **21**

 LA REVANCHE DE RUBY **22**

 LE MYSTÈRE DU TABLEAU VOLÉ **23**

 UNE STAR À L'ÉCOLE **24**

 LA PIRE DES PESTES **25**

KINRA GIRLS FOREVER **26**

DESTINATION MYSTÈRE

Disparition
à Rome

Énigme dans
l'Orient-Express

ET LES BD

ISBN : 9782809667080
Dépôt légal : août 2019
Imprimé en Serbie par Publikum.

Textes et illustrations reproduits avec l'aimable autorisation de Corolle.

Mise en page : Aurélie Buridans.
Mise au point de la maquette : Cédric Gatillon.
IGS-CP pour la photogravure.

Nous tenons à remercier pour leur contribution à cet ouvrage :
M. Baudry, J.-L. Broust, A. Buridans, S. Champion, A. Goraguer, M. Joron, L. Maj,
K. Marigliano, L. Pommet, F. Ramette, C. Schram, M. Seger, N. Tran.